Contents

S0-AXJ-066

Cindy

目 录

第一课　你好!　... 1
　　　　Hello!

第二课　你叫什么名字?　................................... 6
　　　　What Is Your Name?

第三课　你多大?　... 11
　　　　How Old Are You?

第四课　你是哪国人?　... 17
　　　　What Is Your Nationality?

第五课　我上大华高中　.. 23
　　　　I Go To Dahua High School

第六课　我爱我的家　... 29
　　　　I Love My Family

第七课　你住在哪儿?　... 36
　　　　Where Do You Live?

第八课　今天是几月几号?　................................. 43
　　　　What Date Is Today?

第九课　今天是星期几?　..................................... 50
　　　　What Day Is It Today?

第十课　教室里有什么?　..................................... 57
　　　　What Is In The Classroom?

第十一课 我喜欢吃水果　....................................... 65
　　　　I Like Fruits

第十二课 你想吃什么?　....................................... 72
　　　　What Do You Want To Eat?

索　引　... 82
　　　　INDEX

奇妙中文
Discovering Chinese

The Language

Chinese languages mainly comprise of two kinds: Putonghua (Mandarin Chinese or huá yǔ) and local dialects. About one billion Chinese speak Putonghua. Students are taught in Putonghua in schools. Variations of Putonghua, which are called dialects, are used in different parts of China.

The Writing

Chinese writing was first created over six thousand years ago, making it the oldest living language. The earliest form of writing was found on turtle shells, which were used to predict the future.

 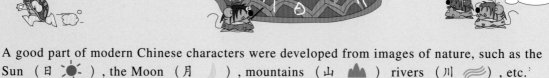

A good part of modern Chinese characters were developed from images of nature, such as the Sun (日) , the Moon (月), mountains (山) rivers (川) , etc. These symbols, also called "pictograms", evolved over time and gradually became the characters people use today. Many other characters were derived from a combination of different forms, including the sound they represent.

mù
木

There are over eighty thousand written Chinese characters. On average, a fluent speaker today uses about 1,000 to 2,000 words in everyday living.

The structure of a Chinese word or character can be composed of one whole, two or more parts. Examples of characters of one-whole are zhōng (中), dà (大), xiǎo (小). Two-part characters are either top-down like jiān (尖), or left-right like lín (林). Three part characters may have the components lined up horizontally like xiè (谢), shù (树), or vertically like sēn (森).

Chinese words are often made up of two or more simple characters. The dominant character, which sometimes gives clue to what the word means, is called the *radical*. For example, the character lín (林) meaning forest, has the radical mù (木), which means wood. Most of the words with the radical mu have something to do with wood, like zhuō (桌), which means desk and is likely made of wood.

There are eight basic strokes in writing Chinese: héng (横), shù (竖), diǎn (点), piě (撇), nà (捺), tí (提), gōu (钩) and zhé (折).

In the old days, Chinese characters were written from top to bottom and from right to left. Today most people and publications have adopted the modern writing and printing format-horizontally from left to right, just like English.

The Pronunciation

Chinese is spoken with different tones. Putonghua has four tones. The first is high and even, like when you open your mouth for the doctor (Ah...ah). The second rises in pitch, like when you ask a question (What?). The third dips and then rises, like when you are uncertain (Maybe!?). The fourth tone is a sharp falling tone. It is short, strong and straight like when you say a forceful "No!"

zài jiàn

kè wén 课文 Text

Nǐ hǎo!
你好!

Nǐ hǎo!
你好!

Zài jiàn!
再见!

Zài jiàn!
再见!

Tóngxué men hǎo!
同学们好!

Lǎoshī hǎo!
老师好!

Tóngxué men zài jiàn!
同学们再见!

Lǎoshī zài jiàn!
老师再见!

Nǐ hǎo ma?
你好吗？

Wǒ hěn hǎo. Xièxie!
我很好。谢谢！

Zài jiàn!
再见!

Zài jiàn!
再见!

yǔ fǎ
语 法 Grammar

Greet people by adding 好 to a name or title. 你好 is the equivalent of "Hello".

你好！
Hello.

老师好！
Hello, Teacher.

同学们好！
Hello, Class.

你好吗？ means "How are you?" 吗 signifies the sentence is a question.

你好吗？
How are you?

我很好，谢谢！
I am fine, thanks.

同学们好！
Hello, Class.

再见 literally means "meet again" and is the equivalent of "Goodbye".

再见！
Good-bye.

老师再见！
Good-bye, Teacher.

同学们再见！
Good-bye, Class.

你好吗？

老　师 ⇨ ＿＿＿＿＿＿＿＿＿＿＿

同学们 ⇨ ＿＿＿＿＿＿＿＿＿＿＿

你好。

老　师 ⇨ ＿＿＿＿＿＿＿＿＿＿＿

同学们 ⇨ ＿＿＿＿＿＿＿＿＿＿＿

谢谢你。

老　师 ⇨ ＿＿＿＿＿＿＿＿＿＿＿

同学们 ⇨ ＿＿＿＿＿＿＿＿＿＿＿

Discovering China

文化　The Chinese greeting nǐ hǎo literally translates to "you good," and is a way of asking how someone is doing. However, there is no need to respond "fine," and "nǐ hǎo" is used in the same way that "Hello" is used in English. The phrase "nǐ hǎo ma?" (How are you?) is used less frequently and is generally something you would only ask friends or family members. If you ask a Chinese person "nǐ hǎo ma?" they will not automatically say "fine" and will provide a more detailed answer than an English speaker would.

rèn dú zì cí
认 读 字 词 Vocabulary

你	nǐ	you
好	hǎo	good, well, fine
你 好	nǐ hǎo	Hello; How are you?
再 见	zài jiàn	Good-bye
同 学	tóng xué	classmate
们	men	[used after a pronoun or noun to show plural]
老 师	lǎo shī	teacher
吗	ma	[particle, signifies a question]
我	wǒ	I, me
很	hěn	very
谢 谢	xiè xie	Thank you

xué xiě zì liàn dǎ zì
学 写 字 练 打 字 Writing & Typing

Write the following characters.

你	nǐ you	ノ イ 亻 伱 伱 你 你
好	hǎo good, well, fine	く 女 女 女 奵 好
见	jiàn to see	丨 冂 冂 见 见

To type these characters on a computer, spell the pinyin and then select the appropriate character from the list.

n+i   h+a+o   z+a+i   j+i+a+n

你 好 ， 再 见 。

kè wén
课 文 Text

Nǐ jiào shénme míngzi?
你 叫 什 么 名 字？

Wǒ jiào Wáng Xiǎowén.　Nǐ jiào shénme míngzi?
我 叫 王 小 文。 你 叫 什 么 名 字？

Wǒ jiào Lǐ Dàzhōng.
我 叫 李 大 中。

Tā jiào shénme míngzi?
他 叫 什 么 名 字？

Tā jiào Bái Dàwèi.　　Tā jiào shénme míngzi?
他 叫 白 大 卫。 她 叫 什 么 名 字？

Tā jiào Bái Mǎlì.
她 叫 白 玛 丽。

语 法 Grammar

你叫什么名字? This literally translates to "You called what name?". Verbs are not conjugated in Chinese, so the word 叫 can be used to mean "call," "called," "calls," "calling," and so forth. The meaning depends on the context and additional particles.

你叫什么名字?
What is your name?

他叫什么名字?
What is his name?

她叫什么名字?
What is her name?

她/他 "tā" means "he" or "she". The sound is the same for either gender but the characters are written differently.

我叫王小文。
My name is WANG Xiaowen.

他叫白大卫。
His name is BAI Dawei.

我叫李大中。
My name is LI Dazhong.

她叫白玛丽。
Her name is BAI Mali.

句 型 练 习 Exercises

你叫什么名字?

他叫什么名字?

她 ⇒ 她叫什么名字?

老师 ⇒ 老师叫Emily。

王小文，再见。

李大中，再见。

白玛丽 ⇒ 白玛丽，再见。

白大卫 ⇒ 白大卫，再见。

Discovering China

文化 In Chinese, the family name is said first, so someone named Bái Mǎlì would be called Mǎlì Bái in English. Because many of the sounds found in English don't exist in Chinese, and also since every sound must be attached to a tone and a character with its own meaning, very few Western names can translate directly into Chinese. Because of this, any non-Chinese celebrity is called by something different in Chinese (George Washington is "qiáo zhì huá shèng dùn" and Michael Jordan is "mài kè qiáo dān"). Most people learning Chinese take a new Chinese name that is similar to their own. For example, people called "David" are often called "Dàwèi", or someone named "Sharon" could be "Xiǎowén".

rèn dú zì cí
认读字词 Vocabulary

叫	jiào	call, is called
什么	shén me	what
名字	míng zi	name
王	wáng	[a family name]
小文	xiǎo wén	[a given name]
李	lǐ	[a family name]
大中	dà zhōng	[a given name]

他	tā	he, him
白	bái	[a family name]
大卫	dà wèi	[a given name]
她	tā	she, her
玛丽	mǎ lì	[a given name]

xué xiě zì liàn dǎ zì
学 写 字 练 打 字 Writing & Typing

Write the following characters.

我	wǒ I, me	丿 一 二 于 手 我 我 我
他	tā he, him	丿 亻 仢 仲 他
她	tā she, her	𠃌 乆 女 奻 奻 她
名	míng name	丿 夂 夕 夕 名 名
字	zì word	丶 丷 宀 宀 宁 字

To type these characters on a computer, spell the pinyin and then select the appropriate character from the list.

t+a j+i+a+o s+h+e+n m+e m+i+n+g z+i

她 叫 什 么 名 字 ？

第三课 你多大？

课文 Text
kè wén

一 二 三 四 五
yī èr sān sì wǔ

六 七 八 九 十
liù qī bā jiǔ shí

你 多 大 ？
Nǐ duō dà?

我 十 二 岁 。 你 呢 ？
Wǒ shí'èr suì. Nǐ ne?

我 十 四 岁 。
Wǒ shísì suì.

他 多 大 ？
Tā duō dà?

他 十 五 岁 。
Tā shíwǔ suì.

她 多 大 ？
Tā duō dà?

她 也 十 五 岁 。
Tā yě shíwǔ suì.

yǔ fǎ 语 法 Grammar

几 means "how many" for numbers less than about ten. For people under ten ask their age by saying 你几岁？ For people over the age of ten, you ask 你多大？ 呢 here means "what about?"

你多大？
How old are you?

我十四岁。
I am fourteen years old.

我十六岁。
I am sixteen years old.

他多大？
How old is he?

他十三岁。
He is thirteen years old.

她多大？
How old is she?

她十二岁。
She is twelve years old.

我十六岁，你呢？
I am sixteen years old. And you?

我十五岁。
I am fifteen years old.

我叫王小文，你呢？
I am called WANG Xiaowen. And you?

我叫李大中。
I am LI Dazhong.

jù xíng liàn xí 句 型 练 习 Exercises

你多大？

她多大？

老 师 ⇨ _____

王大中 ⇨ _____

王小文 ⇨ _____

你叫什么？

他叫什么？

她 ⇨ _____

老　师 ⇨ _____

shì　shì　kàn
试　试　看 Challenge

A:　Nǐ jiào shénme míngzi?
A：你叫什么名字？

B:　Wǒ jiào Wáng Xiǎowén.　Nǐ jiào shénme míngzi?
B：我叫王小文。你叫什么名字？

A:　Wǒ jiào Lǐ Dàzhōng.　Nǐ duō dà?
A：我叫李大中。你多大？

B:　Wǒ shí'èr suì.　Nǐ ne?
B：我十二岁。你呢？

A:　Wǒ shísì suì.
A：我十四岁。

Discovering China

文化

Chinese speakers count differently with their hands than English speakers. One through five are the same, but then six through ten are all shown with one hand. Chinese people often play fast paced games using these numbers with their fingers that can be baffling for visitors, but are lots of fun once you master the gestures.

rèn dú zì cí
认 读 字 词 Vocabulary

一	yī	one
二	èr	two
三	sān	three
四	sì	four
五	wǔ	five
六	liù	six
七	qī	seven
八	bā	eight
九	jiǔ	nine
十	shí	ten
多	duō	many, how many
大	dà	big, old
十二	shí èr	twelve
岁	suì	age
呢	ne	[ending word showing a question or emphasis]
十四	shí sì	fourteen
十五	shí wǔ	fifteen
也	yě	also

Write the following characters.

 一 yī one 一

 二 èr two 一 二

 三 sān three 一 二 三

 四 sì four 丨 冂 四 四 四

 五 wǔ five 一 丁 五 五

 六 liù six 、 亠 六 六

 七 qī seven 一 七

 八 bā eight 丿 八

 九 jiǔ nine 丿 九

 十 shí ten 一 十

To type these characters on a computer, spell the pinyin and then select the appropriate character from the list.

w+o   s+h+i   s+a+n   s+u+i.

我 十 三 岁 。

Dì sì kè　　Nǐ shì nǎ guó rén?
第四课　　你是哪国人？

kè wén
课 文 Text

Nǐ shì nǎ guó rén?
你 是 哪 国 人？

Wǒ shì Zhōngguó rén.
我 是 中 国 人。

Tā shì nǎ guó rén?
他 是 哪 国 人？

Tā shì Měiguó rén.
他 是 美 国 人。

Nǐ shì Zhōngguó rén ma?
你 是 中 国 人 吗？

Bú shì, wǒ bú shì Zhōngguó rén.
不 是， 我 不 是 中 国 人。

Wǒ shì Yīngguó rén.
我 是 英 国 人。

Tā shì bú shì Měiguó rén?
她 是 不 是 美 国 人？

Bú shì, tā bú shì Měiguó rén.
不 是， 她 不 是 美 国 人。

Tā shì Jiānádà rén.
她 是 加 拿 大 人。

你是哪国人？

我是美国人。

yǔ fǎ
语 法 Grammar

哪 means "which". 是 is the verb "to be," and can be used to mean "is," "are," and "am."

你是哪国人？
What is your nationality?

1. 我是中国人。
   I am Chinese.
2. 我是美国人。
   I am American.
3. 我是加拿大人。
   I am Canadian.

不 means "no" or "not" and is attached to verbs to turn them into their negative form. "[verb]不[verb]" is a question form, so 是不是 means "is it or not?"

你是英国人吗？
Are you British?

1. 是，我是英国人。
   Yes, I am British.
2. 不是，我不是英国人。
   No, I am not British.

   我是美国人。
   I am American.

她是不是美国人？
Is she American?

1. 是，她是美国人。
   Yes, she is American.
2. 不是，她不是美国人。
   No, she is not American.

   她是加拿大人。
   She is Canadian.

奇妙中文

句型练习 Exercises

他是哪国人？

老师是哪国人？

王大中 ⇨ _____

王小文 ⇨ _____

白大卫 ⇨ _____

白玛丽 ⇨ _____

李老师 ⇨ _____

中文老师 ⇨ _____

他是中国人吗？

她是中国人吗？

老　师 ⇨ _____

王大中 ⇨ _____

王小文 ⇨ _____

白大卫 ⇨ _____

白玛丽 ⇨ _____

试试看 Challenge

Nǐ hǎo!　Wǒ jiào Bái Mǎlì.　Wǒ shísì suì.　Wǒ shì Měiguó rén.
你好！我叫白玛丽。我十四岁。我是美国人。

Tā shì Zhōngwén lǎoshī,　tā shì Wáng lǎoshī.　Xièxie!
她是中文老师，她是王老师。谢谢！

读一读 Reading

Wǒ jiào Lǐ Xiǎoyīng, wǒ shì Jiānádà rén, tā jiào Wáng Dàzhōng,
我叫李小英，我是加拿大人，他叫王大中，

tā shì Fǎguó rén. Wǒmen shì tóngxué. Wáng lǎoshī shì Zhōngwén lǎoshī,
他是法国人。我们是同学。王老师是中文老师，

tā yě shì Zhōngguó rén, tā shì hǎo lǎoshī.
他也是中国人，他是好老师。

Discovering China

文化 Zhōngguó means "Middle Country," and reflects the ancient Chinese belief that their homeland was the center of the earth. Lots of other country names both sound similar to their original pronunciation and have a meaning describing the country in a positive light. For example, America (Měiguó) means "beautiful country," England (Yīngguó) means "brave country," and France (Fǎguó) means "lawful country."

rèn dú zì cí
认读字词 Vocabulary

是	shì	yes; to be
哪	nǎ	which
国	guó	country
人	rén	person
中国	zhōng guó	China
美国	měi guó	U.S.A.
不	bù	no, not
英国	yīng guó	England, Britain
是不是	shì bú shì	a question form-"is it or not?"
加拿大	jiā ná dà	Canada

学 写 字 练 打 字 Writing & Typing

Write the following characters.

是   shì   is, yes   丶   丨 口   日   旦   早

                      昰   昰   是

不   bù   no, not   一   丆   不   不

人   rén   person   丿   人

大   dà   big, large   一   大   大

中   zhōng   middle, center, medium   丨   口   口   中

小   xiǎo   small, little   亅   小   小

To type these characters on a computer, spell the pinyin and then select the appropriate character from the list.

w+o	s+h+i	m+e+i	g+u+o	r+e+n
我	是	美	国	人 。

第五课　我上大华高中

kè   wén
课 文 Text

Nǐ shàng nǎ ge xuéxiào?
你 上 哪 个 学 校？

Wǒ shàng Dàhuá Zhōngxué. Nǐ ne?
我 上 大 华 中 学。你 呢？

Wǒ shàng Dàhuá Gāozhōng.
我 上 大 华 高 中。

Nǐ yě shàng Dàhuá Zhōngxué ma?
你 也 上 大 华 中 学 吗？

Bù, wǒ bú shàng Dàhuá Zhōngxué.
不，我 不 上 大 华 中 学。

Nǐ shàng jǐ nián jí?
你 上 几 年 级？

Wǒ shàng qī nián jí. Nǐ shàng jǐ nián jí?
我 上 七 年 级。你 上 几 年 级？

Wǒ shàng jiǔ nián jí. Nǐ ne?
我 上 九 年 级。你 呢？

Wǒ bú shàng jiǔ nián jí. Wǒ shàng bā nián jí.
我 不 上 九 年 级。我 上 八 年 级。

语 法 Grammar
yǔ fǎ

上 in this case means "attend" or "go to".

We saw 哪 in the last chapter combined with 里 to mean "which place" or "where." Here, it is combined with the counting (measure) word "个" to form 哪个高中 meaning "which high school".

也 means "also".

你上哪个学校？
Which school do you go to?

我上大华高中。
I go to Dahua High School.

他上哪个学校？
Which school does he go to?

他上大华中学。
He goes to Dahua Middle School.

她上哪个学校？
Which school does she go to?

她上国际学校。
She goes to the International School.

你上几年级？
Which grade are you in?

我上九年级。
I am in 9th grade.

他上几年级？
Which grade is he in?

他上七年级。
He is in 7th grade.

她上几年级？
Which grade is she in?

她上八年级。
She is in 8th grade.

1. 我上大华高中，他也上大华高中。
I go to Dahua High School. He also goes to Dahua High School.

2. 王小文上大华高中，白玛丽也上大华高中。
WANG Xiaowen goes to Dahua High School. BAI Mali also goes to Dahua High School.

3. 我上九年级，她也上九年级。
I am in 9th grade. She is also in 9th grade.

4. 白大卫上八年级，李大中也上八年级。
BAI Dawei is in 8th grade. LI Dazhong is also in 8th grade.

你上哪个中学？

我不上中学，我上小学。

句 型 练 习 Exercises

你上哪个中学？

王大中 ⇨ _____

王小文 ⇨ _____

白玛丽 ⇨ _____

你同学 ⇨ _____

你上八年级，他也上八年级吗？

九年级 ⇨ _____

十二年级 ⇨ _____

高中 ⇨ _____

大华中学 ⇨ _____

shì shì kàn
试 试 看 Challenge

Nǐ hǎo!　Wǒ jiào Bái Dàwèi.　Wǒ shíwǔ suì.　Wǒ shì Měiguó

你好！我叫白大卫。我十五岁。我是美国

rén.　Wáng Xiǎowén shì wǒ tóngxué.　Tā yě shíwǔ suì.　Tā shì Zhōngguó

人。王小文是我同学。她也十五岁。她是中国

rén.　Xièxie!

人。谢谢！

dú yì dú
读 一 读 Reading

Wǒ jiào Lǐ Xiǎoyīng,   wǒ shì Jiānádà rén,   wǒ shíwǔ suì,
我叫李小英，我是加拿大人，我十五岁，

wǒ shàng Dàhuá Gāozhōng jiǔ nián jí.   Wáng lǎoshī shì jiǔ nián jí Zhōngwén lǎoshī,
我上大华高中九年级。王老师是九年级中文老师，

yě shì shí nián jí Zhōngwén lǎoshī   Nǐ shàng nǎ ge xuéxiào?   Jǐ nián jí?
也是十年级中文老师。你上哪个学校？几年级？

Discovering China

文化 Education in China is centered around learning to read Chinese characters. To read a newspaper, you need to be able to recognize between 2000 to 3000 characters, so it is important to study them from the beginning. Literacy rates in Chinese speaking countries are comparatively high, and learning to read Chinese characters is extremely rewarding. The earliest ancestors of Chinese characters appeared more than 5000 years ago and developed into increasingly symbolic drawings that communicated very complex thoughts. The continuity of Chinese characters means that books written hundreds of years ago can still be read easily, even if the spoken language has changed.

rèn dú zì cí
认 读 字 词 Vocabulary

上	shàng	to go, attend; up
个	gè	[a measure word or counting word, describes a class of objects]
学校	xué xiào	school
高中	gāo zhōng	High School
大华高中	dà huá gāo zhōng	Dahua High School
中学	zhōng xué	Middle School
几	jǐ	several, which
年级	nián jí	grade

Write the following characters.

上	shàng to go, attend; up	一 卜 上
个	gè [a measure word]	ノ 人 个
也	yě also, too	フ 力 也
华	huá Chinese	ノ イ 仁 化 化 华

To type these characters on a computer, spell the pinyin and then select the appropriate character from the list.

w+o　　s+h+a+n+g　　q+i　　n+i+a+n　　j+i

我　上　七　年　级　。

奇妙中文 DISCOVER CHINESE

Tā shì shéi?
他 是 谁？

Tā shì wǒ de bàba. Wǒ ài wǒ de bàba.
他 是 我 的 爸爸。 我 爱 我 的 爸爸。

Tā shì shéi?
她 是 谁？

Tā shì wǒ de māma. Wǒ ài wǒ de māma.
她 是 我 的 妈妈。 我 爱 我 的 妈妈。

Tā shì bú shì nǐ de dìdi?
他 是 不 是 你 的 弟弟？

Shì, tā shì wǒ de dìdi.
是， 他 是 我 的 弟弟。

Tā shì bú shì nǐ de jiějie?
她 是 不 是 你 的 姐姐？

Bú shì, tā bú shì wǒ de jiějie. Tā shì wǒ de mèimei.
不 是， 她 不 是 我 的 姐姐。 她 是 我 的 妹妹。

Nǐ jiā yǒu jǐ ge rén?
你 家 有 几 个 人？

wǒ jiā yǒu wǔ ge rén， bàba māma gēge jiějie
我 家 有 五 个 人， 爸爸、 妈妈、 哥哥、 姐姐

hé wǒ.
和 我。

zhè shì shéi?
这 是 谁？

zhè shì wǒ.
这 是 我。

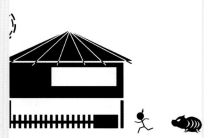

语 法 Grammar
yǔ fǎ

你家有几个人？

This literally means "You family has how many people?" With 家 in this case you do not need to add a possessive 的. It is enough to say 你家 or 他家.

你家有几个人？
How many persons are there in your family?

我家有五个人。
There are five persons in my family.

他家有几个人？
How many persons are there in his family?

他家有三个人。
There are three persons in his family.

她家有几个人？
How many persons are there in her family?

她家有四个人。
There are four persons in her family.

这是谁？

The structure of "Who is this/he/she" is reversed in Chinese, with "who" coming last.

他是谁？
Who is he?

他是我的爸爸。
He is my father.

她是谁？
Who is she?

她是我的妈妈。
She is my mother.

你是谁？
Who are you?

我是李大中。
I am LI Dazhong.

这是我。
This is me.

这是谁？
Who is this?

这是我的爸爸。
This is my father.

这是王小文。
This is WANG Xiaowen.

我爱我的家。
I love my family.

我爱我的妈妈。
I love my mother.

我爱我的哥哥。
I love my big brother.

我爱我的妹妹。
I love my little sister.

jù xíng liàn xí
句型练习 Exercises

你家有几个人？

王大中家有几个人？

王老师 ⇨ _____

白玛丽 ⇨ _____

你同学 ⇨ _____

这是我的爸爸，他是美国人。

这是我的同学，她是英国人。

王大中、法国 ⇨ _____

王大中的老师、中国 ⇨ _____

白玛丽的妈妈、日本 ⇨ _____

他是英国人，他爱英国。

王大中是法国人，他爱法国。

老师、他、美国 ⇨ _____

白玛丽、她、法国 ⇨ _____

他、他、日本 ⇨ _____

他是我的哥哥，不是我的弟弟。

她是我的同学，不是我的妹妹。

王大中、弟弟 ⇨ ＿＿＿＿＿＿＿＿＿＿＿＿＿

我的姐姐、妹妹 ⇨ ＿＿＿＿＿＿＿＿＿＿＿＿＿

我的老师、妈妈 ⇨ ＿＿＿＿＿＿＿＿＿＿＿＿＿

shì shì kàn 试 试 看 Challenge

Wǒ yǒu bàba, māma, yí ge gēge, yí ge jiějie, yí ge
我有爸爸、妈妈、一个哥哥、一个姐姐、一个

dìdi hé yí ge mèimei. Wǒ ài bàba hé māma. Wǒ yě ài gēge,
弟弟和一个妹妹。我爱爸爸和妈妈。我也爱哥哥、

jiějie, dìdi hé mèimei. Tāmen yě ài wǒ. Wǒ ài wǒ de jiā.
姐姐、弟弟和妹妹。他们也爱我。我爱我的家。

dú yì dú 读 一 读 Reading

Wǒ jiā yǒu wǔ ge rén, tāmen shì: bàba, māma, gēge,
我家有五个人，他们是：爸爸、妈妈、哥哥、

jiějie hé wǒ. Wǒ shàng Dàhuá Zhōngxué qī niánjí, gēge hé jiějie shàng Dà
姐姐和我。我上大华中学七年级，哥哥和姐姐上大

huá Gāozhōng. Bàba māma ài wǒmen, wǒmen yě ài tāmen.
华高中。爸爸妈妈爱我们，我们也爱他们。

你家有几口人？

我家有三口人。

Discovering China

文化   Every member in a Chinese family has his or her place within that family. A specific word is therefore designated for each family member, clearly defining his/her role with the other family members. For example, there are distinctions for younger and older siblings, or paternal and maternal grandparents. This relationship extends beyond one's immediate family. "biǎo dì" means younger male cousin from your mother's side and "táng dì" means younger male cousin from your father's side. This concept can be tricky when learning the language, but reflects the importance and respect that Chinese people give to familial relationships.

rèn dú zì cí
认 读 字 词 Vocabulary

妈妈	mā ma	mother
爸爸	bà ba	father
哥哥	gē ge	elder brother
弟弟	dì di	younger brother
姐姐	jiě jie	elder sister
妹妹	mèi mei	younger sister
谁	shéi	who
的	de	[a possessive particle used after a pronoun, noun or adjective]: 's
爱	ài	to love
家	jiā	family
有	yǒu	have (has), there are (is)
和	hé	and
这	zhè	this

xué xiě zì liàn dǎ zì
学 写 字 练 打 字 Writing & Typing

奇妙的中文 DISCOV

Write the following characters.

谁	shéi who	丶 讠 讠 讠 讠 讠 讠 讠 讠 谁 谁
的	de [a possessive particle used after a pronoun or noun]	丿 亻 白 白 白 白 的 的
有	yǒu have (has), there are (is)	一 ナ 才 冇 有 有
爸	bà father	丶 八 父 父 爷 爷 爸
妈	mā mother	乚 女 女 妈 妈 妈
和	hé and	丿 二 千 禾 禾 禾 和 和
家	jiā family	丶 八 宀 宀 宀 宀 宇 家 家 家

To type these characters on a computer, spell the pinyin and then select the
appropriate character from the list.

| z+h+e | s+h+i | w+o | d+e | m+a | m+a | w+o | a+i | t+a |

这 是 我 的 妈 妈， 我 爱 她。

kè wén
课 文 Text

Nǐ zhù zài nǎr?
你 住 在 哪 儿 ？

Wǒ zhù zài Dàhuá Jiē shí hào.
我 住 在 大 华 街 10 号 。

Lǐ xiàozhǎng zhù zài nǎr?
李 校 长 住 在 哪 儿 ？

Lǐ xiàozhǎng zhù zài Xiǎoxué Lù sānshíwǔ hào sān lóu.
李 校 长 住 在 小 学 路 3 5 号 三 楼 。

Wáng lǎoshī zhù zài Xiǎoxué Lù ma?
王 老 师 住 在 小 学 路 吗 ？

Bù, tā bú zhù zài Xiǎoxué Lù,
不 ， 她 不 住 在 小 学 路 ，

Tā zhù zài Gōngyuán Lù.
她 住 在 公 园 路 。

住 住 住 住 住 住

语 法 Grammar

哪儿 means "which place" or "where." In Chinese you ask "Where do you live?" by saying "You live at where?"

你住在哪儿?
Where do you live?

李校长住在哪儿?
Where does Principal LI live?

王老师住在哪儿?
Where does Ms. WANG live?

我住在大华街10号。
I live at 10 Dahua Street.

1. 李校长住在中学路35号三楼。
Principal LI lives on the 3rd Floor, 35 Zhongxue Road.

2. 他住在中学路35号三楼。
He lives on the 3rd Floor, 35 Zhongxue Road.

1. 王老师住在公园路52号。
Ms. WANG lives at 52 Park Road.

2. 她住在公园路52号。
She lives at 52 Park Road.

句型练习 Exercises
jù xíng liàn xí

他是谁?

这是谁?

王大中 ⇨ _____

校 长 ⇨ _____

老 师 ⇨ _____

他不在中国，他在美国。

爸爸不在美国，他在中国。

王老师、家、学校 ⇨ _____

李校长、学校、家 ⇨ _____

大卫的家、法国、中国 ⇨ _____

我住在三楼，不住在四楼。

王大中住在三楼，不住在二楼。

老师、七楼 ⇨ _____

校长、六楼 ⇨ _____

他、五楼 ⇨ _____

你住在哪儿？

王大中住在哪儿？

白大卫 ⇨ _____

你的同学 ⇨ _____

王老师 ⇨ _____

shì shì kàn 试 试 看 Challenge

Wǒ jiā yǒu qī ge rén, bàba, māma, gēge, jiějie,
我家有七个人，爸爸、妈妈、哥哥、姐姐、

dìdi, mèimei hé wǒ. Wǒmen zhùzài Dàhuá Jiē.
弟弟、妹妹和我。我们住在大华街。

Wǒ de bàba shì Měiguó rén. Tā wǔshí'èr suì. Wǒ de māma
我的爸爸是美国人。他五十二岁。我的妈妈

shì Zhōngguó rén. Tā wǔshí suì. Wǒ de gēge èrshíyī suì. Tā shàng
是中国人。她五十岁。我的哥哥二十一岁。他上

Dàhuá Dàxué èr niánjí. Wǒ de jiějie shíliù suì. Tā shàng Dàhuá Zhōng
大华大学二年级。我的姐姐十六岁。她上大华中

xué jiǔ niánjí. Wǒ shísì suì, shàng Dàhuá Zhōngxué bā niánjí. Dìdi
学九年级。我十四岁，上大华中学八年级。弟弟

shí suì. Mèimei bā suì. Tāmen shàng Dàhuá Xiǎoxué.
十岁。妹妹八岁。他们上大华小学。

Wǒ ài wǒ de bàba, wǒ ài wǒ de māma, wǒ yě ài wǒ de
我爱我的爸爸，我爱我的妈妈，我也爱我的

gēge, jiějie, dìdi hé mèimei. Wǒ ài wǒ de jiā.
哥哥、姐姐、弟弟和妹妹。我爱我的家。

dú yì dú 读 一 读 Reading

Wǒ de tóngxué jiào Bái Dàwèi, tā de bàba shì Měiguó rén, tā
我的同学叫白大卫，他的爸爸是美国人，他

men zhù zài Gōngyuán Lù. Tā zhù de shì dàlóu, dàlóu jiào "àihuá dà
们住在公园路。他住的是大楼，大楼叫"爱华大

lóu". Tāmen zhù shí'èr lóu. Wǒ jiā yě zài Gōngyuán lù, wǒmen bú
楼"。他们住十二楼。我家也在公园路，我们不

zhù dàlóu. Wǒ jiā shì shíwǔ hào.
住大楼。我家是十五号。

你住在哪儿？

我住在王小文家。

Discovering China

文化 Some of the most famous cities in China are Beijing, Shanghai and Hong Kong, but China has lots of fast growing urban centers around the country and even more famous cultural and historical cities that are not as well known outside of Chinese communities. One striking fact for many beginning students of Chinese language and culture is the realization that there are cities in China that are more than five times as big as San Francisco that you may never have heard of.

rèn dú zì cí

认 读 字 词 Vocabulary

住	zhù	to live
在	zài	at, in, on
哪儿	nǎ er	where
大华街	dà huá jiē	Dahua Street
街	jiē	street
号	hào	number; day
校长	xiào zhǎng	principal
路	lù	road
楼	lóu	floor
公园	gōng yuán	park

Write the following characters.

在	zài at, in, on	一	ナ	才	右	存	在
哪	nǎ where	丶	丨口	口	叮	叼	叼	哪

哪了 哪

住	zhù to live	丿	亻	亻	亻	仁	住	住
老	lǎo old	一	十	土	耂	耂	老
师	shī teacher	丨	刂	刂	师	师	师

To type these characters on a computer, spell the pinyin and then select the
appropriate character from the list.

w+o	m+e+n	y+i	j+i+a	r+e+n	z+h+u	z+a+i
我	们	一	家	人	住	在

d+a	h+u+a	j+i+e	s+h+i	e+r	h+a+o	
大	华	街	十	二	号	。

kè wén
课 文 Text

Jīntiān shì jǐ yuè jǐ hào?
今 天 是 几 月 几 号 ？

Jīntiān shì sì yuè shíwǔ hào. Jīntiān shì wǒ de shēngrì.
今 天 是 四 月 十 五 号 。 今 天 是 我 的 生 日 。

Zhù nǐ shēngrì kuàilè.
祝 你 生 日 快 乐 。

Xièxie! Nǐ de shēngrì shì jǐ yuè jǐ hào?
谢 谢 ！ 你 的 生 日 是 几 月 几 号 ？

Wǒ de shēngrì shì yī yuè qī hào.
我 的 生 日 是 一 月 七 号 。

Wǒ mèimei de shēngrì yě shì yī yuè qī hào.
我 妹 妹 的 生 日 也 是 一 月 七 号 。

语 法 Grammar
yǔ fǎ

号 is a counting word for numbers that can also be used for dates.

今天是几月几号？
What date is today?

今天是六月八号。
Today is June 8th.

今天是四月十二号。
Today is April 12th.

你的生日是几月几号？
When is your birthday?

我的生日是三月二十九号。
My birthday is March 29th.

她的生日是几月几号？
When is her birthday?

她的生日是二月十七号。
Her birthday is February 17th.

王小文的生日是几月几日？
When is WANG Xiaowen's birthday?

王小文的生日是七月二十号。
WANG Xiaowen's birthday is July 20th.

祝你 means "I wish you...".

祝你生日快乐！
Happy birthday to you!

祝王小文生日快乐！
Happy birthday to WANG Xiaowen!

祝白玛丽生日快乐！
Happy birthday to BAI Mali!

45

你的生日是几月几号?

王大中的生日是几月几号?

王校长 ⇨ _____

爸 爸 ⇨ _____

他的妹妹 ⇨ _____

祝你生日快乐!

祝爸爸生日快乐!

老师 ⇨ _____

校长 ⇨ _____

姐姐 ⇨ _____

试试看 Challenge
shì shì kàn

Wǒ jiā yǒu sì ge rén, bàba, māma, gēge hé wǒ. Wǒ de
我家有四个人，爸爸、妈妈、哥哥和我。我的
bàba shì Zhōngguó rén, tā wǔshí suì, tā de shēngrì shì liù yuè shí'èr
爸爸是中国人，他五十岁，他的生日是六月十二
rì. Wǒ de māma shì Fǎguó rén, tā sìshíjiǔ suì, tā de shēngrì yě
日。我的妈妈是法国人，她四十九岁，她的生日也
zài liù yuè, shì èrshíwǔ rì. Wǒ de gēge èrshí suì, tā shàng Dàhuá
在六月，是二十五日。我的哥哥二十岁，他上大华
Dàxué. Tā shì yījiǔjiǔlíng nián shēng de, shēngrì shì qī yuè sì rì. Wǒ
大学。他是一九九零年生的，生日是七月四日。我
shì yījiǔjiǔwǔ nián shēng de, jīnnián shísān suì, shàng Dàhuá Zhōngxué qī nián
是一九九五年生的，今年十三岁，上大华中学七年
jí, wǒ de shēngrì shì èr yuè liù hào.
级，我的生日是二月六号。
Nǐ shì nǎ yì nián shēng de? Nǐ de shēngrì shì jǐ yuè jǐ hào? Nǐ shàng
你是哪一年生的？你的生日是几月几号？你上
nǎ gè xuéxiào? Jǐ nián jí?
哪个学校？几年级？

dú yì dú
读 一 读 Reading

Bái Dàwèi de gēge shì yī jiǔ jiǔ'èr nián shēng de, tā jīnnián shí
白大卫的哥哥是一九九二年生的，他今年十

liù suì, shàng Dàhuá Zhōngxué, tā shì gāozhōngshēng. Bái Dàwèi de dìdi
六岁，上大华中学，他是高中生。白大卫的弟弟

shì yī jiǔ jiǔ bā nián shēng de, tā jīnnián shí suì, shàng Dàhuá Xiǎoxué,
是一九九八年生的，他今年十岁，上大华小学，

tā shì xiǎoxuéshēng.
他是小学生。

Wǒ hé Bái Dàwèi shàng tóng yí ge xuéxiào, xuéxiào jiào "Dàhuá Zhōng
我和白大卫上同一个学校，学校叫"大华中

xué", wǒmen shì tóngxué. Bái Dàwèi zhù zài gōngyuán lù de "àihuá
学"，我们是同学。白大卫住在公园路的"爱华

dà lóu", wǒ yě zhù zài "àihuá dàlóu", wǒmen zhù zài tóng yí
大楼"，我也住在"爱华大楼"，我们住在同一

ge dà lóu, tā zhù zài wǔ lóu, wǒ zhù zài sān lóu.
个大楼，他住在五楼，我住在三楼。

Discovering China

文化 Chinese characters the world's oldest existing writing system, and are directly evolved from ancient pictographic drawings on animal bones. You can still see this heritage certain characters like 日 (sun), 月 (moon) and 手 (hand), all of which look like their subject. Now Chinese characters have evolved to encompass the full spectrum of language, which is far too complex to represent in pictures, so they often have meanings based on abstract concepts or sounds.

rèn dú zì cí
认 读 字 词 Vocabulary

今天	jīn tiān	today
月	yuè	month, the moon
生日	shēng rì	birthday
祝	zhù	to wish
快乐	kuài lè	happy

xué xiě zì liàn dǎ zì
学 写 字 练 打 字 Writing & Typing

奇奇妙妙中文 DISCOVERING CHINESE

Write the following characters.

日	rì day, the sun	丨	冂	冃	日		
月	yuè month, the moon	丿	刀	月	月		
生	shēng birth	丿	𠂉	𠂉	牛	生	
今	jīn today, now	丿	人	亼	今		
年	nián year	丿	𠂉	𠂉	𠄌	𠂏	年

To type these characters on a computer, spell the pinyin and then select the appropriate character from the list.

b+a+i	m+a	l+i	d+e	s+h+e+n+g	r+i	s+h+i
白	玛	丽	的	生	日	是

s+h+i	y+i	y+u+e	e+r	s+h+i	j+i+u	h+a+o
十	一	月	二	十	九	号 。

kè wén
课 文 Text

Jīntiān shì xīngqī jǐ?
今 天 是 星 期 几 ？

Jīntiān shì xīngqī liù.
今 天 是 星 期 六 。

Zuótiān shì xīngqī jǐ?
昨 天 是 星 期 几 ？

Zuótiān shì xīngqī wǔ.
昨 天 是 星 期 五 。

Míngtiān shì xīngqī jǐ?
明 天 是 星 期 几 ？

Míngtiān shì xīngqī rì.
明 天 是 星 期 日 。

Jīntiān shì xīngqī sì ma?
今 天 是 星 期 四 吗 ？

Shì, jīntiān shì xīngqī sì.
是 ， 今 天 是 星 期 四 。

Míngtiān shì bú shì xīngqī liù?
明 天 是 不 是 星 期 六 ？

Bú shì, míngtiān bú shì xīngqī liù. Míngtiān shì xīngqī wǔ.
不 是 ， 明 天 不 是 星 期 六 。 明 天 是 星 期 五 。

明天是星期七吗？

不是，明天是星期日。

奇妙中文 DISCOVERING CHINESE

今天是星期几?
What day is it today?

今天是星期六。
Today is Saturday.

昨天是星期几?
What day was it yesterday?

昨天是星期五。
Yesterday was Friday.

明天是星期几?
What day is it tomorrow?

明天是星期日。
Tomorrow is Sunday.

今天是星期五吗?
Is it Friday today?

是，今天是星期五。
Yes, today is Friday.

明天是星期六吗?
Is it Saturday tomorrow?

不是，明天不是星期六。
No, tomorrow is not Saturday.

明天是星期五。
Tomorrow is Friday.

昨天是星期二吗?
Was yesterday Tuesday?

不是，昨天是星期四。
No, yesterday was Thursday.

昨天是不是星期四?
Was it Thursday yesterday?

是，昨天是星期四。
Yes, yesterday was Thursday.

今天是不是星期三?
Is it Wednesday today?

不是，今天不是星期五。
No, today is Friday.

明天是不是星期天?
Is it Sunday tomorrow?

不是，明天不是星期天。
No, tomorrow is not Sunday.

明天是星期一。
Tomorrow is Monday.

昨天是四号。

星期二是八号。

九月六日、星期四 ⇨ _____

爸爸生日、三月十七号 ⇨ _____

明天、妈妈的生日 ⇨ _____

今天是不是星期四？

你生日是不是下星期？

五月三号、星期日 ⇨ _____

王老师、中国人 ⇨ _____

明天、不上学 ⇨ _____

这是我的爸爸。

这是我的学校。

同学 ⇨ _____

校长 ⇨ _____

家人 ⇨ _____

试试看 Challenge
shì shì kàn

今天是二零零八年三月十七日。今天是星期一。今天也是我的生日，大家祝我生日快乐。明天是妹妹的生日，我们也祝她生日快乐。

Jīntiān shì èrlínglíngbā nián sān yuè shíqī rì. Jīntiān shì xīngqī yī. Jīntiān yě shì wǒ de shēngrì, dàjiā zhù wǒ shēngrì kuàilè. Míngtiān shì mèimei de shēngrì, wǒmen yě zhù tā shēngrì kuàilè.

读一读 Reading
dú yì dú

我是大华中学的学生，我们星期六和星期日不上学。今天是不是星期六？今天上不上学？

Wǒ shì Dàhuá Zhōngxué de xuéshēng, wǒmen xīngqī liù hé xīngqī rì bú shàngxué. Jīntiān shìbbúshì xīngqī liù? Jīntiān shàng bú shàng xué?

姐姐是大华高中的学生，她的学校在公园路，她们星期六和星期日也不上学。她爱她的学校、老师和同学，她上学很快乐。你的学校在哪儿？你的学校大不大？

Jiějie shì Dàhuá Gāozhōng de xuéshēng, tā de xuéxiào zài Gōngyuán Lù, tāmen xīngqī liù hé xīngqī rì yě bú shàngxué. Tā ài tā de xuéxiào, lǎoshī hé tóngxué, tā shàngxué hěn kuàilè. Nǐ de xuéxiào zài nǎr? Nǐ de xuéxiào dà bú dà?

Discovering China

文化 Months and days of the week are simpler in Chinese than in English. Days are numbered from one to six, except for Sunday which is either marked by tiān (heaven) or rì (sun). Months are numbered one through twelve.

星期日	星期一	星期二	星期三	星期四	星期五	星期六
		1	2	3	4	5
6	7	8	9	10	11	12
13	14	15	16	17	18	19
20	21	22	23	24	25	26
27	28	29	30	31		

认 读 字 词 Vocabulary

星期日（天）	xīng qī rì (tiān)	Sunday
星期一	xīng qī yī	Monday
星期二	xīng qī èr	Tuesday
星期三	xīng qī sān	Wednesday
星期四	xīng qī sì	Thursday
星期五	xīng qī wǔ	Friday
星期六	xīng qī liù	Saturday
星期	xīng qī	week
昨天	zuó tiān	yesterday
明天	míng tiān	tomorrow

Write the following characters.

| 明 | míng tomorrow | 丨 丨 冂 月 日 印 明 明 明 |

| 昨 | zuó yesterday | 丨 丨 冂 月 日 旷 旷 昨 昨 昨 |

| 天 | tiān day, sky | 一 二 于 天 |

| 星 | xīng star | 丶 丨 冂 曱 日 戸 旦 臯 星 星 |

| 期 | qī a period of time | 一 十 卄 甘 甘 且 其 其 期 期 期 期 |

| 吗 | ma [ending word of a question] | 丨 丨 冂 口 吗 吗 吗 |

To type these characters on a computer, spell the pinyin and then select the appropriate character from the list.

m+i+n+g	t+i+a+n	s+h+i	x+i+n+g	q+i	l+i+u
明	天	是	星	期	六

。

奇妙中文 DISCOVER CHINESE

Zhè shì shénme? Zhè shì shūbāo.

这是什么？这是书包。

Zhè shì shéi de shūbāo? Zhè shì wǒ de shūbāo.

这是谁的书包？这是我的书包。

Shūbāo lǐ yǒu shénme?

书包里有什么？

Shūbāo lǐ yǒu shū, bǐjìběn, qiānbǐ hé xiàngpí.

书包里有书、笔记本 、铅笔和橡皮。

Nà shì shénme?

那是什么？

Nà shì jiàoshì.

那是教室。

Nà shì shéi de jiàoshì?

那是谁的教室？

Nà shì wáng lǎoshī de jiàoshì.

那是王老师的教室。

Jiàoshì lǐ yǒu shénme?

教室里有什么？

Jiàoshì lǐ yǒu zhuōzi, yǐzi hé báibǎn.

教室里有桌子、椅子和白板。

yǔ fǎ
语 法 Grammar

这是什么？ means "what is this?"
那是什么？ means "what is that?"
那 and 这 can be connected with counting words to mean "this…," or "that…."
The most common forms are 那个, 这个.
…里有什么？ means "what is inside…?"

这是什么？ What is this?	这是书包。 This is a backpack. 这是笔记本。 This is a notebook.
那是什么？ What is that?	那是教室。 That is a classroom. 那是桌子。 That is a desk.
这是谁的书包？ Whose backpack is this?	这是我的书包 This is my backpack. 这是王小文的书包。 This is WANG Xiaowen's backpack.
那是谁的教室？ Whose classroom is that?	那是王老师的教室。 That is Ms. WANG's classroom. 那是我的教室。 That is my classroom.
书包里有什么？ What is in the backpack？ 教室里有什么？ What is in the classroom?	书包里有书、笔记本、铅笔和橡皮。 There are books, notebooks, pencils and an eraser in the backpack. 教室里有桌子、椅子和白板。 There are desks, chairs and a whiteboard in the classroom.

奇妙中文

教室里有桌子。

学校里有老师。

大楼、桌子 ⇨ _____

书包、笔记本 ⇨ _____

学校、教室 ⇨ _____

铅笔在哪儿？

你的学校在哪儿？

我们的老师 ⇨ _____

我的教室 ⇨ _____

你的妈妈 ⇨ _____

那是谁的书包？

这是谁的铅笔？

他、老师 ⇨ _____

那、家 ⇨ _____

这、书 ⇨ _____

我家有四个人。
王大中有一个弟弟。

教室里、十个学生 ⇨ _____

一星期、七天 ⇨ _____

学校、十二个老师 ⇨ _____

shì shì kàn
试 试 看 Challenge

Wǒ yǒu yí ge shūbāo. Shūbāo lǐ yǒu shū, bǐjìběn, qiānbǐ hé
我有一个书包。书包里有书、笔记本、铅笔和

xiàngpí. Jiàoshì lǐ yǒu lǎoshī, yǒu xuéshēng, jiàoshì lǐ yě yǒu zhuōzi hé
橡皮。教室里有老师，有学生，教室里也有桌子和

yǐzi.
椅子。

dú yì dú
读 一 读 Reading

Wǒ de xuéxiào hěn dà, wǒ de xuéxiào jiào "Dàhuá Zhōngxué",
我的学校很大，我的学校叫"大华中学"，

zài Zhōngxué Lù shang. Wǒmen de xiàozhǎng shì Wáng xiàozhǎng. Wǒ ài shàng xué,
在中学路上。我们的校长是王校长。我爱上学，

wǒ ài wǒ de xuéxiào.
我爱我的学校。

Wǒ jīnnián shàng zhōngxué jiǔ nián jí, wǒ yǒu sānshíyī ge tóngxué.
我今年上中学九年级，我有三十一个同学。

Wǒmen de jiàoshì yǒu báibǎn, zhuōzi hé yǐzi.
我们的教室有白板、桌子和椅子。

Wǒmen yǒu sān ge lǎoshī, tāmen shì: Lǐ lǎoshī, Wáng lǎoshī hé
我们有三个老师，他们是：李老师、王老师和

Bái lǎoshī. Tāmen shì hǎo lǎoshī, tāmen ài xuéshēng, wǒmen yě ài lǎo
白老师。他们是好老师，他们爱学生，我们也爱老

shī. Dà jiā shàng xué hěn kuàilè.
师。大家上学很快乐。

Wǒ de shūbāo lǐ yǒu wǔ běn shū hé qī ge bǐjìběn, wǒ de shūbāo
我的书包里有五本书和七个笔记本，我的书包

shàng yǒu wǒ de míngzi, wǒ de bǐjìběn shàng yě yǒu wǒ de míngzi, wǒ de
上有我的名字，我的笔记本上也有我的名字，我的

míngzi shì Bái Mǎlì.
名字是白玛丽。

Discovering China

文化 Formal education in China can be traced all the way back to the 16th century B.C. Education has always been extremely important in China, and for centuries, imperial examinations determined who could enter the civil service and join the government. Education was the means through which you could elevate your social status and bring honor and wealth to your family.

rèn dú zì cí
认 读 字 词 Vocabulary

书包	shū bāo	backpack, book bag
里	lǐ	inside, in
书	shū	book
笔记本	bǐ jì běn	notebook

奇妙的中文 DISCOVERING CHINESE

铅笔	qiān bǐ	pencil
橡皮	xiàng pí	eraser
那	nà	that
教室	jiào shì	classroom
桌子	zhuō zi	desk, table
椅子	yǐ zi	chair
白板	bái bǎn	whiteboard

xué xiě zì liàn dǎ zì
学 写 字 练 打 字 Writing & Typing

Write the following characters.

这	zhè this	丶	二	亠	文	文	讠这	这	
那	nà that	丁	丬	彐	那	那	那		
书	shū book	㇇	乛	书	书				
包	bāo bag	丿	勹	勹	勺	包			
里	lǐ inside	丶	口	曰	日	甲	甲	里	
白	bái white	丿	亻	白	白	白			
本	běn notebook	一	十	才	木	本			

奇妙中文 DISCOVERING CHINESE

To type these characters on a computer, spell the pinyin and then select the appropriate character from the list.

j+i+a+o	s+h+i	l+i	y+o+u	z+h+u+o	z+i	h+e
教	室	里	有	桌	子	和

y+i	z+i		y+i	z+i	s+h+a+n+g	y+o+u
椅	子	，	椅	子	上	有

s+h+u	b+a+o		s+h+u	b+a+o	l+i	y+o+u
书	包	。	书	包	里	有

s+h+u		b+i	j+i	b+e+n	h+e	q+i+a+n	b+i
书	、	笔	记	本	和	铅	笔 |。

你是书生吗？

是啊，我是读书的学生。

奇妙中文 DISCOVERING CHINESE

Nǐ zuì xǐhuān chī shénme?
你 最 喜 欢 吃 什 么？

Wǒ zuì xǐhuān chī shuǐguǒ.
我 最 喜 欢 吃 水 果。

Nǐ xǐhuān chī shénme shuǐguǒ?
你 喜 欢 吃 什 么 水 果？

Wǒ xǐhuān chī xiāngjiāo. Nǐ ne?
我 喜 欢 吃 香 蕉。 你 呢？

Wǒ bù xǐhuān chī shuǐguǒ.
我 不 喜 欢 吃 水 果。

Nà nǐ xǐhuān chī shénme?
那 你 喜 欢 吃 什 么？

Wǒ zuì xǐhuān chī hànbǎo.
我 最 喜 欢 吃 汉 堡。

语 法 Grammar

喜欢吃 means "like to eat."
The form "喜欢+[verb]" means "like to do…"

你最喜欢吃什么？
What do you like to eat the most?

我最喜欢吃水果。
I like to eat fruits the most.

我最喜欢吃汉堡。
I like to eat hamburgers the most.

你最喜欢吃什么水果？
What kind of fruit do you like to eat the most?

我最喜欢吃香蕉。
I like to eat bananas the most.

我喜欢吃水果，你呢？
I like to eat fruits. And you?

我不喜欢吃水果。
I don't like to eat fruits.

我很喜欢吃水果。
I like to eat fruits very much.

句 型 练 习 Exercises
jù xíng liàn xí

我喜欢吃水果。

老师喜欢吃汉堡。

我们、这本书 ⇨ _____

白玛丽、吃香蕉 ⇨ _____

她、王老师 ⇨ _____

奇妙中文

香蕉在哪儿？

你的汉堡在哪儿？

你喜欢的书 ⇨ _____

我的桌子 ⇨ _____

姐姐的教室 ⇨ _____

你最喜欢吃什么？

爸爸最喜欢吃什么？

白大卫 ⇨ _____

弟弟 ⇨ _____

王小文 ⇨ _____

你喜欢什么书？

他喜欢什么学校？

哥哥、水果 ⇨ _____

姐姐、笔 ⇨ _____

老师、学生 ⇨ _____

<ruby>试<rt>shì</rt></ruby> <ruby>试<rt>shì</rt></ruby> <ruby>看<rt>kàn</rt></ruby> Challenge

<ruby>桌<rt>Zhuōzi</rt></ruby><ruby>子<rt></rt></ruby> <ruby>上<rt>shàng</rt></ruby> <ruby>有<rt>yǒu</rt></ruby> <ruby>很<rt>hěnduō</rt></ruby><ruby>多<rt></rt></ruby> <ruby>东<rt>dōngxi</rt></ruby><ruby>西<rt></rt></ruby>。<ruby>有<rt>Yǒu</rt></ruby> <ruby>书<rt>shūbāo</rt></ruby><ruby>包<rt></rt></ruby>、<ruby>笔<rt>bǐ jìběn</rt></ruby><ruby>记<rt></rt></ruby><ruby>本<rt></rt></ruby>、<ruby>橡<rt>xiàngpí</rt></ruby><ruby>皮<rt></rt></ruby>，<ruby>还<rt>hái</rt></ruby>
<ruby>有<rt>yǒu</rt></ruby> <ruby>很<rt>hěnduō</rt></ruby><ruby>多<rt></rt></ruby> <ruby>吃<rt>chī</rt></ruby> <ruby>的<rt>de</rt></ruby> <ruby>东<rt>dōngxi</rt></ruby><ruby>西<rt></rt></ruby>：<ruby>苹<rt>Píngguǒ</rt></ruby><ruby>果<rt></rt></ruby>、<ruby>香<rt>xiāngjiāo</rt></ruby><ruby>蕉<rt></rt></ruby>、<ruby>汉<rt>hànbǎo</rt></ruby><ruby>堡<rt></rt></ruby>、<ruby>果<rt>guǒzhī</rt></ruby><ruby>汁<rt></rt></ruby>。<ruby>书<rt>Shūbāo</rt></ruby><ruby>包<rt></rt></ruby> <ruby>是<rt>shì</rt></ruby>
<ruby>王<rt>Wáng</rt></ruby> <ruby>小<rt>Xiǎowén</rt></ruby><ruby>文<rt></rt></ruby> <ruby>的<rt>de</rt></ruby>。<ruby>苹<rt>Píngguǒ</rt></ruby><ruby>果<rt></rt></ruby> <ruby>是<rt>shì</rt></ruby> <ruby>她<rt>tā</rt></ruby> <ruby>喜<rt>xǐhuān</rt></ruby><ruby>欢<rt></rt></ruby> <ruby>吃<rt>chī</rt></ruby> <ruby>的<rt>de</rt></ruby>。<ruby>李<rt>Lǐ</rt></ruby> <ruby>大<rt>Dàzhōng</rt></ruby><ruby>中<rt></rt></ruby> <ruby>喜<rt>xǐhuān</rt></ruby><ruby>欢<rt></rt></ruby> <ruby>喝<rt>hē</rt></ruby> <ruby>果<rt>guǒzhī</rt></ruby><ruby>汁<rt></rt></ruby>，
<ruby>果<rt>guǒzhī</rt></ruby><ruby>汁<rt></rt></ruby> <ruby>是<rt>shì</rt></ruby> <ruby>他<rt>tā</rt></ruby> <ruby>的<rt>de</rt></ruby>。<ruby>笔<rt>Bǐ jìběn</rt></ruby><ruby>记<rt></rt></ruby><ruby>本<rt></rt></ruby> <ruby>和<rt>hé</rt></ruby> <ruby>橡<rt>xiàngpí</rt></ruby><ruby>皮<rt></rt></ruby> <ruby>是<rt>shì</rt></ruby> <ruby>白<rt>Bái</rt></ruby> <ruby>大<rt>Dàwèi</rt></ruby><ruby>卫<rt></rt></ruby> <ruby>的<rt>de</rt></ruby>。<ruby>白<rt>Bái</rt></ruby> <ruby>玛<rt>Mǎlì</rt></ruby><ruby>丽<rt></rt></ruby> <ruby>喜<rt>xǐhuān</rt></ruby><ruby>欢<rt></rt></ruby>
<ruby>吃<rt>chī</rt></ruby> <ruby>苹<rt>píngguǒ</rt></ruby><ruby>果<rt></rt></ruby>，<ruby>她<rt>tā</rt></ruby> <ruby>的<rt>de</rt></ruby> <ruby>苹<rt>píngguǒ</rt></ruby><ruby>果<rt></rt></ruby> <ruby>在<rt>zài</rt></ruby> <ruby>桌<rt>zhuōzi</rt></ruby><ruby>子<rt></rt></ruby> <ruby>上<rt>shàng</rt></ruby>。<ruby>桌<rt>Zhuōzi</rt></ruby><ruby>子<rt></rt></ruby> <ruby>上<rt>shàng</rt></ruby> <ruby>没<rt>méiyǒu</rt></ruby><ruby>有<rt></rt></ruby> <ruby>我<rt>wǒ</rt></ruby> <ruby>的<rt>de</rt></ruby> <ruby>东<rt>dōngxi</rt></ruby><ruby>西<rt></rt></ruby>，
<ruby>有<rt>yǒu</rt></ruby> <ruby>你<rt>nǐ</rt></ruby> <ruby>喜<rt>xǐhuān</rt></ruby><ruby>欢<rt></rt></ruby> <ruby>吃<rt>chī</rt></ruby> <ruby>的<rt>de</rt></ruby> <ruby>东<rt>dōngxi</rt></ruby><ruby>西<rt></rt></ruby> <ruby>吗<rt>ma</rt></ruby>？

◆ 生字词

苹果：apple　　　　果汁：juice　　　　东西：things, stuff

<ruby>读<rt>dú</rt></ruby> <ruby>一<rt>yì</rt></ruby> <ruby>读<rt>dú</rt></ruby> Reading

<ruby>这<rt>Zhè</rt></ruby> <ruby>是<rt>shì</rt></ruby> <ruby>谁<rt>shéi</rt></ruby> <ruby>的<rt>de</rt></ruby> <ruby>书<rt>shūbāo</rt></ruby><ruby>包<rt></rt></ruby>？<ruby>这<rt>Zhè</rt></ruby> <ruby>是<rt>shì</rt></ruby> <ruby>谁<rt>shéi</rt></ruby> <ruby>的<rt>de</rt></ruby> <ruby>书<rt>shū</rt></ruby>？<ruby>有<rt>Yǒu</rt></ruby> <ruby>名<rt>míngzi</rt></ruby><ruby>字<rt></rt></ruby> <ruby>吗<rt>ma</rt></ruby>？
<ruby>你<rt>Nǐ</rt></ruby> <ruby>喜<rt>xǐhuān</rt></ruby><ruby>欢<rt></rt></ruby> <ruby>这<rt>zhè</rt></ruby> <ruby>本<rt>běn</rt></ruby> <ruby>书<rt>shū</rt></ruby> <ruby>吗<rt>ma</rt></ruby>？
<ruby>这<rt>Zhège</rt></ruby><ruby>个<rt></rt></ruby> <ruby>橘<rt>júzi</rt></ruby><ruby>子<rt></rt></ruby> <ruby>很<rt>hěn</rt></ruby> <ruby>大<rt>dà</rt></ruby>，<ruby>你<rt>nǐ</rt></ruby> <ruby>喜<rt>xǐhuān</rt></ruby><ruby>欢<rt></rt></ruby> <ruby>吃<rt>chī</rt></ruby> <ruby>橘<rt>júzi</rt></ruby><ruby>子<rt></rt></ruby> <ruby>吗<rt>ma</rt></ruby>？<ruby>橘<rt>Júzi</rt></ruby><ruby>子<rt></rt></ruby> <ruby>好<rt>hǎo</rt></ruby> <ruby>吃<rt>chī</rt></ruby> <ruby>吗<rt>ma</rt></ruby>？
<ruby>西<rt>Xīguā</rt></ruby><ruby>瓜<rt></rt></ruby> <ruby>大<rt>dà</rt></ruby>，<ruby>橘<rt>júzi</rt></ruby><ruby>子<rt></rt></ruby> <ruby>小<rt>xiǎo</rt></ruby>，<ruby>我<rt>wǒ</rt></ruby> <ruby>喜<rt>xǐhuān</rt></ruby><ruby>欢<rt></rt></ruby> <ruby>吃<rt>chī</rt></ruby> <ruby>西<rt>xīguā</rt></ruby><ruby>瓜<rt></rt></ruby>，<ruby>也<rt>yě</rt></ruby> <ruby>喜<rt>xǐhuān</rt></ruby><ruby>欢<rt></rt></ruby> <ruby>吃<rt>chī</rt></ruby> <ruby>橘<rt>júzi</rt></ruby><ruby>子<rt></rt></ruby>。
<ruby>弟<rt>Dìdi</rt></ruby><ruby>弟<rt></rt></ruby> <ruby>不<rt>bú</rt></ruby> <ruby>爱<rt>ài</rt></ruby> <ruby>吃<rt>chī</rt></ruby> <ruby>面<rt>miàntiáo</rt></ruby><ruby>条<rt></rt></ruby>，<ruby>他<rt>tā</rt></ruby> <ruby>喜<rt>xǐhuān</rt></ruby><ruby>欢<rt></rt></ruby> <ruby>吃<rt>chī</rt></ruby> <ruby>汉<rt>hànbǎo</rt></ruby><ruby>堡<rt></rt></ruby>。
<ruby>你<rt>Nǐ</rt></ruby> <ruby>喜<rt>xǐhuān</rt></ruby><ruby>欢<rt></rt></ruby> <ruby>什<rt>shénme</rt></ruby><ruby>么<rt></rt></ruby> <ruby>水<rt>shuǐguǒ</rt></ruby><ruby>果<rt></rt></ruby>？<ruby>你<rt>Nǐ</rt></ruby> <ruby>天<rt>tiān</rt></ruby> <ruby>天<rt>tiān</rt></ruby> <ruby>吃<rt>chī</rt></ruby> <ruby>水<rt>shuǐguǒ</rt></ruby><ruby>果<rt></rt></ruby> <ruby>吗<rt>ma</rt></ruby>？

◆ 生字词

橘子：tangerine　　　　西瓜：watermelon　　　　面条：noodle

Discovering China

文化

For an agrarian society, food is of utmost importance to the Chinese people. People frequently greet each other by saying "chī fàn le ma?" (Have you eaten?). At Chinese meals, dishes are shared, so people try to invite as many people as possible to meals so that there is more of a variety of food for everyone to try. Cultural festivals and holidays often revolve around a large gathering of people having a meal together with auspicious foods.

rèn dú zì cí
认 读 字 词 Vocabulary

最	zuì	best of all, the most
喜欢	xǐ huān	to like
吃	chī	to eat
水果	shuǐ guǒ	fruit
香蕉	xiāng jiāo	banana
汉堡	hàn bǎo	hamburger

xué xiě zì liàn dǎ zì
学 写 字 练 打 字 Writing & Typing

Write the following characters.

吃	chī to eat	丨 𠂉 口 吖 吃 吃
水	shuǐ water	亅 刁 水 水
果	guǒ fruit	丶 丨 口 日 旦 甲 果 果
喜	xǐ happy, to like	一 十 士 吉 吉 吉 吉 喜 壴 壴 喜 喜
欢	huān to like	𠃌 又 𡿨 𡿨 欢 欢

To type these characters on a computer, spell the pinyin and then select the appropriate character from the list.

n+i	x+i	h+u+a+n	c+h+i	s+h+u+i	g+u+o	m+a
你	喜	欢	吃	水	果	吗?

b+u,	w+o	x+i	h+u+a+n	c+h+i	h+a+n	b+a+o
不,	我	喜	欢	吃	汉	堡。

奇妙中文 DISCOVERING CHINESE

第十二课　你想吃什么？

课文 Text
kè wén

Māma, wǒ è le!
妈妈，我饿了！

Nǐ xiǎng chī shénme? Wǒ xiǎng chī hànbǎo hé shǔtiáo.
你想吃什么？我想吃汉堡和薯条。

Māma, wǒ kě le! Jiā lǐ yǒu hē de dōngxi ma?
妈妈，我渴了！家里有喝的东西吗？

Yǒu, nǐ xiǎng hē shénme?
有，你想喝什么？

Wǒ xiǎng hē kělè.
我想喝可乐。

Nǐmen xiǎng bù xiǎng chī sānmíngzhì?
你们想不想吃三明治？

Wǒ xiǎng chī sānmíngzhì, nǐmen ne?
我想吃三明治，你们呢？

Wǒ bù xiǎng chī sānmíngzhì. Wǒ xiǎng hē guǒzhī.
我不想吃三明治。我想喝果汁。

Wǒ bú è. Wǒ xiǎng chī bīngqílín.
我不饿。我想吃冰淇淋。

Wǒ xiǎng chī Zhōngguó fàn. Nǐmen ne? Wǒ xiǎng chī shuǐjiǎo.
我想吃中国饭。你们呢？我想吃水饺。

Wǒ bù xiǎng chī shuǐjiǎo. Wǒ xiǎng chī bāozi. Nǐ ne?
我不想吃水饺。我想吃包子。你呢？

Wǒ bù xiǎng chī Zhōngguó fàn, wǒ xiǎng chī hànbǎo.
我不想吃中国饭，我想吃汉堡。

樂 乐

yǔ fǎ
语 法 Grammar

我 [adjective] 了 means "I am..." This is also sometimes said without the 了.

我不 [adjective]" means "I am not..."

我饿了。
I am hungry.

我不饿。
I am not hungry.

我渴了。
I am thirsty.

我不渴。
I am not thirsty.

你想 [verb] 什么？ means "what do you want to...?"

你想吃什么？
What do you want to eat?

我想吃汉堡。
I want to eat a hamburger.

妹妹想吃什么？
What does Little Sister want to eat?

她想吃冰淇淋。
She likes to eat ice cream.

你想喝什么？
What do you want to drink?

我想喝可乐。
I want to drink a cola.

李大中想喝什么？
What does LI Dazhong want to drink?

他想喝果汁。
He wants to drink juice.

想不想 is the question form that we saw in a previous chapter. This constrction also works with adjectives.

你们想不想吃三明治？
Do you all want to eat sandwiches or not?

我们想吃三明治。
We want to eat sandwiches.

我们不想吃三明治。
We do not want to eat sandwiches.

我们想吃水饺。
We want to eat Chinese dumplings.

他们想不想吃中国饭?
Do they want to have Chinese food or not?

他们想吃中国饭。
They want to eat Chinese food.

他们不想吃中国饭。
They don't want to eat Chinese food.

他们想吃汉堡。
They want to eat hamburgers.

jù xíng liàn xí
句型练习 Exercises

我想吃水果。
弟弟想喝可乐。

爸爸、见校长 ⇨ _____

我的同学、学中文 ⇨ _____

妈妈、我 ⇨ _____

你想吃什么汉堡?
你想喝什么果汁?

见、人 ⇨ _____

吃、水果 ⇨ _____

上、学校 ⇨ _____

奇妙中文 DISCOVERING CHINESE

你饿不饿?

妹妹上不上学?

你、想吃 ⇨ _____

他的中文、好 ⇨ _____

你的学校、大 ⇨ _____

shì shì kàn
试 试 看 Challenge

Wáng Xiǎowén hé Bái Dàwèi è le. Wáng Xiǎowén xiǎng chī hànbǎo hé shǔ
王小文和白大卫饿了。王小文想吃汉堡和薯

tiáo. Bái Dàwèi xiǎng chī sānmíngzhì hé bīngqílín. Tāmen yě kě le,
条。白大卫想吃三明治和冰淇淋。他们也渴了,

tāmen xiǎng hē kělè hé guǒzhī. Nǐmen è bú è? Nǐmen xiǎng chī Zhōng
他们想喝可乐和果汁。你们饿不饿?你们想吃中

guó fàn ma? Wǒ xǐhuān chī bāozi. Lǐ Dàzhōng xǐhuān chī shuǐjiǎo. Bái
国饭吗?我喜欢吃包子。李大中喜欢吃水饺。白

mǎlì xǐhuān chī hànbǎo. Nǐ xǐhuān chī shénme? Nǐmen kě bù kě?
玛丽喜欢吃汉堡。你喜欢吃什么?你们渴不渴?

Nǐmen xiǎng hē shénme?
你们想喝什么?

中国的饺子最好吃。

我妈妈包的饺子最好吃。

dú yì dú
读一读 Reading

Wǒ bú è,　wǒ bù xiǎng chī bāozi.　Wǒ kě le,　xiǎng hē shuǐ.　Wǒ
我不饿，我不想吃包子。我渴了，想喝水。我

bù xiǎng hē kělè,　wǒ xiǎng hē guǒzhī.　Yǒu shénme guǒzhī?　Yǒu pútáo zhī
不想喝可乐，我想喝果汁。有什么果汁？有葡萄汁

ma?　Yǒu júzi zhī ma?　Júzi zhī hǎo hē ma?
吗？有橘子汁吗？橘子汁好喝吗？

Wǒ zài xuéxiào chī zhōngfàn,　wǒ de shūbāo lǐ yǒu sān gè bāozi hé yì
我在学校吃中饭，我的书包里有三个包子和一

bēi píngguǒ zhī.　Wǒ xǐhuān chī bāozi,　bù xǐhuān hànbǎo,　yě bù xǐhuān
杯苹果汁。我喜欢吃包子，不喜欢汉堡，也不喜欢

sānmíngzhì.　Wǒ xǐhuān chī bīngqílín,　hē guǒzhī.
三明治。我喜欢吃冰淇淋，喝果汁。

Discovering China

文化

Chinese food varies greatly by region, and can be divided up into eight main schools. Most of the standard Chinese food that Americans eat as take out is Yuè, or Southeastern style, since most of the first Chinese immigrants to the US were from Guǎngdōng and Hong Kong. The styles of food from different regions all have unique flavors and ingredients, and experimenting with different tastes from Húnán, Sìchuān or Fújiàn is a great way to experience Chinese culture.

rèn dú zì cí
认 读 字 词 Vocabulary

饿	è	hungry
了	le	[a grammatical word showing a complete action]
想	xiǎng	to feel like doing, think, want
薯条	shǔ tiáo	french fries
渴	kě	thirsty
家里	jiā lǐ	at home
喝	hē	to drink
东西	dōng xi	things, stuff
可乐	kě lè	cola
你们	nǐ men	you (plural)
三明治	sān míng zhì	sandwich
果汁	guǒ zhī	juice
冰淇淋	bīng qí lín	ice cream
饭	fàn	food, meal, cooked rice
水饺	shuǐ jiǎo	Chinese dumplings
包子	bāo zi	Chinese steamed dumpling

xué xiě zì liàn dǎ zì
学 写 字 练 打 字 Writing & Typing

Write the following characters.

| 想 | xiǎng
to feel like doing, think, want | 一 十 才 木 朾 相 相 相
相 相 想 想 想 |
| 什 | shén
what | 丿 亻 仁 什 |

么   me
what   ノ 么 么

饿   è
hungry   ノ ⺈ ⻊ ⻊ ⻊ 饣 饣 饿
饿 饿

喝   hē
to drink   丨 冂 口 ⼝ ⼝ ⼝ ⼝ ⼝
吗 喝 喝 喝

了   le
[a grammatical word indicating a completed or finished action]   乛 了

To type these characters on a computer, spell the pinyin and then select the appropriate character from the list.

w+o	b+u	x+i+a+n+g	c+h+i	h+a+n	b+a+o,	w+o	x+i+a+n+g
我	不	想	吃	汉	堡，	我	想

c+h+i	s+h+u	t+i+a+o	h+e	b+i+n+g	q+i	l+i+n
吃	薯	条	和	冰	淇	淋。

索引 INDEX

	中文	拼音	英文	课
A	爱	ài	to love	6
B	八	bā	eight	3
	爸爸	bà ba	father	6
	白	bái	[a family name]	2
	白板	bái bǎn	whiteboard	10
	包子	bāo zi	stuffed dumpling, usually round in shape	12
	笔记本	bǐ jì běn	notebook	10
	冰淇淋	bīng qí lín	ice cream	12
	不	bù	no, not	4
C	吃	chī	to eat	11
D	大	dà	big, old	3
	大华街	dà huá jiē	Dahua Street	7
	大华高中	dà huá gāo zhōng	Dahua High School	5
	大卫	dà wèi	[a given name]	2
	大中	dà zhōng	[a given name]	2
	的	de	[a possessive particle used after a pronoun, noun adjective]: 's	6
	弟弟	dì di	younger brother	6
	东西	dōng xi	things, stuff	12
	多	duō	many, how many	3
E	饿	è	hungry	12
	二	èr	two	3
F	饭	fàn	food, meal, cooked rice	12
G	高中	gāo zhōng	High School	5
	哥哥	gē ge	elder brother	6
	个	gè	[a measure word or counting word, describes a class of objects]	5
	公园	gōng yuán	park	7
	国	guó	country	4
	果汁	guǒ zhī	juice	12
H	汉堡	hàn bǎo	hamburger	11
	好	hǎo	good, well, fine	1

	号	hào	number, day	7
	喝	hē	to drink	12
	和	hé	and	6
	很	hěn	very	1
J	几	jǐ	several, which	5
	家	jiā	family	6
	家里	jiā lǐ	at home	12
	加拿大	jiā ná dà	Canada	4
	叫	jiào	call, is called	2
	教室	jiào shì	classroom	10
	街	jiē	street	7
	姐姐	jiě jie	elder sister	6
	今天	jīn tiān	today	8
	九	jiǔ	nine	3
K	可乐	kě lè	cola	12
	渴	kě	thirsty	12
	快乐	kuài lè	happy	8
L	老师	lǎo shī	teacher	1
	了	le	[a grammatical word]	12
	李	lǐ	[a family name]	2
	里	lǐ	inside, in	10
	六	liù	six	3
	楼	lóu	floor	7
	路	lù	road	7
M	吗	ma	[particle, signifies a question]	1
	妈妈	mā ma	mother	6
	玛丽	mǎ lì	[a given name]	2
	美国	měi guó	United States of America	4
	妹妹	mèi mei	younger sister	6
	们	men	[used after a pronoun or noun to show plural]	1
	明天	míng tiān	tomorrow	9
	名字	míng zi	name	2
N	哪	nǎ	which	4
	哪儿	nǎr	where	7
	那	nà	that	10
	呢	ne	[ending word of a question]	3
	你	nǐ	you	1
	你好	nǐ hǎo	Hello, How are you?	1

	你们	nǐ men	you (plural)	12
	年级	nián jí	grade	5
Q	七	qī	seven	3
	铅笔	qiān bǐ	pencil	10
R	人	rén	person	4
S	三	sān	three	3
	三明治	sān míng zhì	sandwich	12
	上	shàng	to go, attend; up	5
	谁	shéi	who	6
	什么	shén me	what	2
	生日	shēng rì	birthday	8
	十	shí	ten	3
	十二	shí èr	twelve	3
	十四	shí sì	fourteen	3
	十五	shí wǔ	fifteen	3
	是	shì	yes	4
	是不是	shì bú shì	[a question form]	4
	书	shū	book	10
	书包	shū bāo	backpack, book bag	10
	薯条	shǔ tiáo	french fries	12
	水果	shuǐ guǒ	fruit	11
	水饺	shuǐ jiǎo	dumpling	12
	四	sì	four	3
	岁	suì	age	3
T	他	tā	he, him	2
	她	tā	she, her	2
	同学	tóng xué	classmate	1
W	王	wáng	[a family name]	2
	我	wǒ	I, me	1
	五	wǔ	five	3
X	喜欢	xǐ huān	to like	11
	香蕉	xiāng jiāo	banana	11
	想	xiǎng	to feel like doing, think, want	12
	橡皮	xiàng pí	eraser	10
	小文	xiǎo wén	[a given name]	2
	校长	xiào zhǎng	principal	7
	谢谢	xiè xie	Thank you	1
	星期一	xīng qī yī	Monday	9

星期二	xīng qī èr	Tuesday	9
星期三	xīng qī sān	Wednesday	9
星期四	xīng qī sì	Thursday	9
星期五	xīng qī wǔ	Friday	9
星期六	xīng qī liù	Saturday	9
星期日（天）	xīng qī rì (tiān)	Sunday	9
星期	xīng qī	week	9
学校	xué xiào	school	5
Y 也	yě	also	3
一	yī	one	3
椅子	yǐ zi	chair	10
英国	yīng guó	England, Britain	4
有	yǒu	have, there is (are)	6
月	yuè	month, the moon	8
Z 在	zài	at, in, on	7
再见	zài jiàn	Good-bye	1
这	zhè	this	6
中国	zhōng guó	China	4
中学	zhōng xué	Middle School	5
住	zhù	to live	7
祝	zhù	to wish	8
桌子	zhuō zi	desk, table	10
最	zuì	best of all	11
昨天	zuó tiān	yesterday	9

汉字笔顺笔画

1）基本笔画名称：

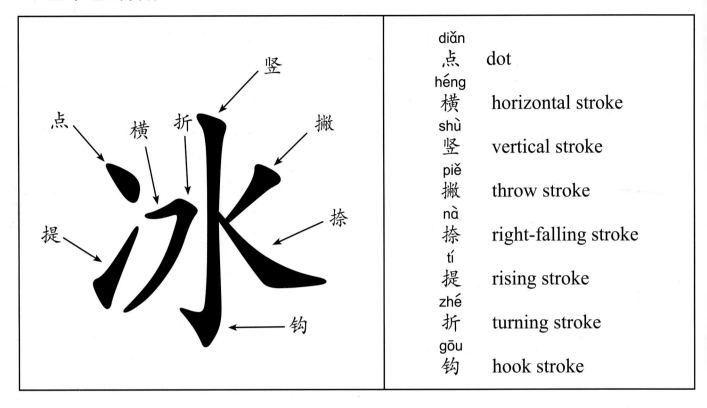

diǎn 点	dot	
héng 横	horizontal stroke	
shù 竖	vertical stroke	
piě 撇	throw stroke	
nà 捺	right-falling stroke	
tí 提	rising stroke	
zhé 折	turning stroke	
gōu 钩	hook stroke	

2）笔顺规则：

规 则	字 例	
先横后竖	十	下
先撇后捺	人	天
先上后下	三	早
先左后右	你	到
先外后内	月	肉
先内后外	山	乐
先中间后两边	小	水
先里头后封口	日	回

3）汉字结构：

☐ 独体字：大、十   ⊟ 合体字（上下）：名、字

⊟ 合体字（左右）：你、好   ⊞ 合体字（左中右）：哪、谢